语文素养读本（丛书）

温儒敏 / 主编
北京大学语文教育研究所 / 组编

小学卷　　一年级 / 上册

小鸟的晨歌
XIAONIAO DE CHENGE

"语文素养读本"按照中小学语文课程标准编写，定位是：课外读物，分级编写，重在引发阅读兴趣，感受汉语之美，提升语文素养。分小学卷、初中卷和高中卷，每学期1册，共24册。选文体现经典性、可读性和语文性的结合。每篇附有精要的阅读提示，注重情感教育、审美教育与思维训练，注重读写能力培养，可与主流教材及教学计划配合使用。在浮躁的时期，孩子们能读到这套高尚而又妙趣横生的书，也许会让他们终生难忘。

"语文素养读本"小学卷编委会

主　编　　温儒敏
副主编　　姜　涛　赵　婕
编　委　　陈　瑜　姜　涛　李宪瑜　温儒敏　萧　泓
　　　　　杨天舒　张洁宇　张桃洲　赵　婕　郑以然
本册主编　张洁宇
插　图　　钦吟之
责任编辑　韩　涵
书籍设计　刘晓翔工作室

图书在版编目（CIP）数据

语文素养读本.小学卷.一年级.上册，小鸟的晨歌／北京大学语文教育研究所组编.—北京：
人民教育出版社，2015.3（2019.7重印）
ISBN 978-7-107-26507-5

Ⅰ.①语…　Ⅱ.①北…　Ⅲ.①阅读课—小学—课外读物　Ⅳ.①G624.233

中国版本图书馆 CIP 数据核字（2015）第 052776 号

语文素养读本（丛书）·小学卷　一年级　上册　小鸟的晨歌

出版发行　人民教育出版社
　　　　　（北京市海淀区中关村南大街 17 号院 1 号楼　邮编：100081）
网　　址　http://www.pep.com.cn
经　　销　全国新华书店
印　　刷　北京恒艺博缘印务有限公司
版　　次　2015 年 3 月第 1 版
印　　次　2019 年 7 月第 11 次印刷
开　　本　787 毫米 ×1 092 毫米　1/16
印　　张　8
字　　数　90 千字
印　　数　231 001 ～ 251 000 册
定　　价　24.00 元

绿色印刷　保护环境　爱护健康

亲爱的读者朋友：
　　本书已入选"北京市绿色印刷工程——优秀出版物绿色印刷示范项目"。它采用绿色印刷标准印制，在封底印有"绿色印刷产品"标志。
　　按照国家环境标准（HJ2503-2011）《环境标志产品技术要求　印刷　第一部分：平版印刷》，本书选用环保型纸张、油墨、胶水等原辅材料，生产过程注重节能减排，印刷产品符合人体健康要求。
　　选择绿色印刷图书，畅享环保健康阅读！

北京市绿色印刷工程

前　言

　　按照国家语文课程标准（以下简称"课标"）要求，语文课要突出"语文素养"的培育，除了课内教学，必须尽量引导学生进行课外阅读，扩大阅读面，养成阅读习惯，提升阅读品位。"课标"规定小学及初中课外阅读量要达到400万字以上。为此，北京大学语文教育研究所牵头，组织编写了这套"语文素养读本"。这套读本由原"义务教育语文课程标准"修订组组长温儒敏教授担任主编，来自北京大学、中国人民大学、首都师范大学等相关研究单位及中小学的十多位专家、作家、诗人和教师组成编写组。这套读本的定位是：课外读物，分级编写，与各个年级的语文教学呼应，重在引发阅读兴趣，感受汉语之美，提升语文素养。

　　"语文素养读本"从小学到高中，每学年2册，共24册。其内容安排与编写方式充分照顾到各年级学生的语文水平和"课标"的学段目标，但又大体上略高于这个标准。

　　选文充分体现经典性、可读性和语文性。小学阶段以童话、故事、寓言、童谣、儿童诗、科幻作品等为主；初中阶段仍以文学作品为主，包括散文、小说、诗歌、传记、科幻作品，以及议论文、说明文等；高中阶段的选文范围更广，涉及中外文学、历史、哲学、政治、经济、科技等领域。整套读本比较注重古典传统，古诗文所占比重较大，从小学低年级开始就有古诗文。

　　选文安排照顾到学习的梯度，尽量不和"课标"建议书目（同时也是主流教材必选书目）重复。

　　每册分若干个单元，便于按类型（主题或其他）组合选文。每单元三五篇作品。单元开头有简短的导语，说明本单元内容主题。每篇选文附设阅读提示，指明作品特色，引导阅读，有的偏重人文性解释，也有的偏重于艺术或者语文性分析，贴近学生的接受心理，要言不烦，力求"每文一得"。和一般教材有所不同，读本主要是学生自读，注重激发阅读兴趣。

小学低中年级有较多"亲子阅读"的内容，建议父母陪伴子女一起读，大人小孩同读一本书，可以交流和增进感情，又能借助阅读形成两代人对话的氛围与习惯，这会让孩子终身受益。

目前坊间流行的同类读本有多种，各有特色，但普遍偏重人文性，选文量大面宽，或者就是人文读本，与语文教学有些脱节。这套"语文素养读本"吸收了既有读本的编写经验，又形成自己的特色，那就是往语文素养靠拢，与正式教材及教学计划有所呼应。如对写作、阅读训练、口语交际，都有适当关注，有所体现。

中考与高考是大多数学生必须面对的巨大现实，我们编写这套读本也考虑到学生参加中考、高考的需要，但主要是在引导阅读和拓展思维方面提示，力求从根本上整体提升素养（包括能力），不重复应试教育的方法。让我们的中小学生既考得好，又不陷于题海战术，不把脑子搞死，兴趣搞无。这好像有点儿难。其实"鱼"和"熊掌"是可以兼得的，关键在于提升教学水平，包括能让学生有较多自由的课外阅读。

在应试教育的大环境中，语文课常受到挤压，很多学生和家长并不重视语文。这是极其短视的行为。许多人上了大学还没有阅读的习惯，要读也就是读一些流行的娱乐搞笑的东西，他们的思维和表达能力必然受到限制。这是语文课的失败！学语文不能只考虑应对考试，更重要的是提升语文素养。语文素养包括语言文字运用能力，及其所体现的学识、文风、情趣等人格涵养。这是现代社会公民必须具备的综合素养。语文课的重要，在于它能打下"三个基础"：为提升综合素养，学好其他课程打下基础；为形成正确的世界观、人生观、价值观，形成良好个性和健全人格打下基础；为全面发展和终身发展打下基础。而要学好语文，光靠做题是不行的，局限于课内也学不好，办法只有一个，就是把课内学习与课外阅读结合起来，多读书，好读书，读好书，读整本的书。

阅读这套书或许是个契机，就此带动我们——所有的家长和孩子们，大家都能把读书的习惯与爱好当作一种生活方式；让孩子们从小就喜欢读书，有纯正的阅读品味，让读书伴随和滋养他们的一生。

这比任何物质财富的赐予或拥有都更重要。

编者

目　录

我是小学生 / 1

我上学了 / 2

小鸟的晨歌 / ［美国］乔治·库柏 / 4

朝起早 / 6

马口鸟力口 / 郑春华 / 7

小银的小学 / ［西班牙］胡安·拉蒙·希梅内斯 / 14

不大不小的我 / 19

我 / ［德国］菲利普·韦希特尔 / 20

在幼儿园学过的人生道理 / ［美国］罗伯特·福尔格姆 / 22

勇气 / ［美国］伯纳德·韦伯 / 25

我会把你再生出来 / 叶特生 / 28

自然与四季 / 31

混沌初开 / 32

曰春夏 / 33

春歌二十首（其一） / 35

九日龙山饮 / ［唐］李白 / 37

雪 / ［唐］张打油 / 38

孩子们的话 / 39

从前有座山，山里有座庙 / 40

小小童谣 / 41

小星星 / 45

孩子们自己的话 / ［意大利］姜尼·罗大里 / 47

我的朋友们 / 53

迷路的小鸡 / 54

麻雀 / 56

亲爱的小鱼 / ［法国］安德烈·德昂 / 59

小鲫鱼和小猫 / ［日本］滨田广介 / 63

孤陋寡闻的小狐狸 / ［苏联］维·比安基 / 69

亲子寓言 / 73

    大鼓 / 海代泉 / 74

    学天鹅的鸭 / 76

    农夫和他的孩子们 / 78

    空中楼阁 / ［印度］穆·拉·安纳德 / 79

    踩着面包走路的女孩 / ［丹麦］安徒生 / 86

笨笨熊 / 91

    笨仆守门 / 92

    纸上乘船 / 95

    郑人买履 / 97

    截竿进城 / 99

亲子共读·小孩与大人 / 103

    小学生给家长的12条建议 / 张涛 / 104

    父母的意义 / ［美国］史蒂文·兰兹伯格 / 107

    大人永远有理吗？ / ［法国］碧姬·拉贝、米歇尔·毕奇 / 111

    避雷针 / 赵洪云 / 118

我是小学生

  幼儿园里的"小朋友"终于变成"小学生"了，多么令人自豪啊！学校里的很多事情，你都很好奇，感觉很新鲜吧！这组短文和诗歌写的是小学生初入学堂的情形。有些事情你可能碰到过，有些心情你甚至也有过。这多有意思呀！

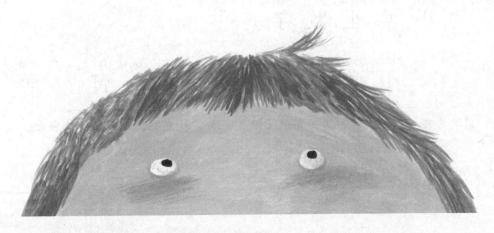

wǒ shàng xué le
我上学了 ①

　　九月的早晨，当你背上书包走出家门，如果有人问你："小宝贝，你到哪里去啊？"你是不是会大声地回答："我上学啦！"

　　祝贺你，小学生！大家都在为你的成长感到高兴，你要好好努力哦！

zhù hè nǐ，cóng yòu ér yuán bì yè，
祝贺你，从幼儿园毕业，

kāi shǐ shàng xiǎo xué luo！cóng xiàn zài qǐ，nǐ
开始上小学啰！从现在起，你

bú zài shì yòu ér yuán xiǎo péng yǒu le，nǐ shì
不再是幼儿园小朋友了，你是

xiǎo xué shēng le。
"小学生"了。

xiǎo xué jiū jìng shén me yàng er a？xué
小学究竟什么样儿啊？学

① 选自《童趣读写》（一年级上册），温儒敏主编，江苏教育出版社，2011年。有改动。

校里有滑梯和玩具吗？老师
会带着我们做游戏吗？中午有
午餐吗？要睡觉吗？老师漂亮
吗？爸爸妈妈可以和我一起上
课吗？……

好多问题呀，答案要你自
己去找。

小鸟的晨歌①

［美国］乔治·库柏

　　"不迟到"是对小学生的基本要求，你能坚持做到吗？看看下面这个贪睡的小宝贝，让窗外的小鸟都着急啦。

小宝贝，快起床，鸟儿已离巢，

你还在被窝！

最懒的小鸟已起舞，

你也该和它们一样。

起床，小宝贝，快起床！

---

① 选自《美国语文》（第二册），威廉·H. 麦加菲编，范晓伟译，天津社会科学院出版社，2012年。有改动。

哦，看你的贪睡错过了，

美丽的露珠与晨空！

那错过的晨歌将无法重奏，

你也将没有机会与我同歌。

起床，小宝贝，快起床！

我在耐心地等候着，

直到妈妈的吻印上你的前额；

小鸟已暗自尽了力，

要借妈妈的一吻把你从梦中

唤醒！

起床，小宝贝，快起床！

　　我是小学生

zhāo qǐ zǎo

朝起早①

　　《弟子规》是古时候给小朋友读的书，节选部分要求孩子们从小养成早睡早起的好习惯，起床后自己动手洗漱穿衣，做一个爱整洁的人。这些好习惯，你能做到吗？

zhāo qǐ zǎo　　yè mián chí
朝起早，夜眠迟。

lǎo yì zhì　　xī cǐ shí
老易至，惜此时。

chén bì guàn　　jiān shù kǒu
晨必盥②，兼漱口。

biàn niào huí　　zhé jìng shǒu
便溺回，辄净手。

guān bì zhèng　　niǔ bì jié
冠必正，纽必结。

---

① 选自《弟子规》，李毓秀编撰，浙江古籍出版社，2010年。题目为编者所加。

② 盥：洗（手、脸）。

wà yǔ lǚ　　jù jǐn qiè
袜 与 履 ， 俱 紧 切 。

zhì guān fú　　yǒu dìng wèi
置 冠 服 ， 有 定 位 。

wù luàn dùn　　zhì wū huì
勿 乱 顿 ， 致 污 秽 。

mǎ kǒu niǎo lì kǒu
马 口 鸟 力 口 ①

郑春华

一年级学生马鸣加在学校闹了不少笑话。他不喜欢语文课，不好好写字，给自己带来了不小的麻烦。如果你觉得这个故事有点儿长，可以和爸爸妈妈一起读哦，那样他们就可以和你一起开怀大笑啦。

mǎ míng jiā shàng xué bú dào yí gè xīng
马 鸣 加 上 学 不 到 一 个 星

① 选自《非常小子马鸣加》，郑春华著，少年儿童出版社，2011年。有改动。

期，就对妈妈说："我不要上语文课。"

妈妈问："为什么？"

"因为语文课要写生字，生字本很小，里面的格子更小。可老师又规定字不能写到格子外面来……"马鸣加抱怨地说。

妈妈打开马鸣加的生字本一看，只见马鸣加写的字，要么左半个在格子外面，要么下半部出了格子。

妈妈说："格子就是用来规范你的字，不然以后你写长的文章，要用多少纸啊；如果是信要寄的话，那就更不方便了！"

尽管妈妈这样说有道理，可马鸣加一写起来就觉得很难，手好像一下子不是自己的。算了，马鸣加干脆放弃了，怎么写舒服就怎么写，只要现在能完成作业就行。

马鸣加的字成了全班最

差的。

"再这样下去我要罚你重写了！"老师这么一说，马鸣加本子上的"手"跟"脚"就伸出来少一些；要是不说，马上就又长"长"了……

"六一"儿童节的时候，年级里要举行联欢会，有演出任务的同学把自己的节目名字和姓名写给报幕员。马鸣加有一首诗朗诵，题目叫《百变爸爸》。妈妈帮马鸣加排练了好几天，希望马鸣加能为他们一（1）班争得荣誉。

这天，报幕员是一（2）班的女同学。节目都演得差不多了，怎么还没有报到马鸣加呢，马鸣加坐在台下急死了！

终于，报幕员又出来了："下一个节目，诗朗诵《百变爸爸》，表演者，一（1）班马口鸟力口……"

当报幕员报完以后，马鸣加一下跳起来叫道："不，这

个节目是我的！”

报幕员把节目单拿给老师看，老师一看，笑了；然后再给马鸣加看，马鸣加一看，没笑，而是脸涨得通红。

同学们都在叽叽喳喳，说这个名字真好玩！

小银的小学 ①

［西班牙］胡安·拉蒙·希梅内斯

小银是一头可爱的小毛驴。西班牙诗人胡安·拉蒙·希梅内斯为这头小毛驴写了一百多首诗。在诗人眼里，小银是他的兄弟、朋友，或是孩子。他们相依为命，一同走过美丽的原野、村庄、山岗、教堂、街巷……

小银是没法和小孩子们一起快乐地上学的。想想看，它会多么羡慕你啊！如果动物们也有小学，那该是多么好玩的事情！

小银，如果你同别的孩子们一起去上小学，你就会学会字母A、B、C，也会学会写

---

① 选自《小银和我》，胡安·拉蒙·希梅内斯著，达西安娜·菲萨克译，浙江文艺出版社，2013年。原题为《小学》。

字画道道。你会和那只蜡做的
小毛驴一样懂得那么多——就
是在玻璃缸的绿水中闪着玫瑰
色、肉色、金色的美人鱼的朋
友，那只头上戴着布做的花
环的小毛驴。小银，你还会
比巴罗镇上的神父和医生懂得
更多。

可是，虽然你还不到四
岁，你却长得这么高大，这么
笨拙！要什么样的小椅子才能
给你坐，什么样的桌子才能让

你写字，什么样的练习本和笔才能够你用，什么样的教堂唱经班里的位置可以给你站着唱赞美诗呢，你说？

你别去。堂娜多米蒂拉——就是那个和卖鱼的雷耶斯一样，穿着耶稣受难时的紫色袈裟、系着黄色腰带的太

16

太 —— 说不定会罚你在那有香蕉树的院子角落里跪两个小时，或许会用一根长长的芦苇秆来打你的手心，也可能会把你作为午点的甜糕吃得精光，甚至会用火点着了一张纸放在你的尾巴下面，使你的耳朵变得通红、滚热，就像庄稼汉的

17　　我是小学生

儿子面临着一场打骂的风暴一样……

你别去，小银别去。还是跟我来吧。我来教你认花朵和星星。人家不会笑你是一个小傻瓜，也不会将他们叫作毛驴的纸帽给你戴上；它那两只耳朵比你的还要大一倍，它那用红圈、蓝圈画成的大眼睛，就像河里船只上画的眼睛一样。

不 大 不 小 的 我

  6岁多的你，不大也不小。幼儿园里的小朋友崇拜地叫你"哥哥姐姐"，高年级的大同学却总管你叫"小不点儿"。好好享受快乐的现在吧，就是这样一个不大不小的你，已经开始学习，开始思考。下面这组文章里的道理，你听到过吗？你想到过吗？

^{wǒ}
我 ①

[德国] 菲利普·韦希特尔

如果你也喜欢自己，试着大声把这首诗读给爸爸妈妈听吧，然后，记着要给他们一个大大的拥抱。

wǒ
我 ……

wǒ xǐ huan zì jǐ
我 喜 欢 自 己 。

wǒ rè ài shēng huó
我 热 爱 生 活 ，

fán shì zì yǒu zhǔ zhāng
凡 事 自 有 主 张 。

wǒ zǒu zì jǐ de lù
我 走 自 己 的 路 。

---

① 选自《我》，菲利普·韦希特尔著，赵远虹译，新蕾出版社，2010年。有删改。

wǒ zhēn liǎo bu qǐ

我真了不起。

bú guò　　yě yǒu shí hou

不过，也有时候，

wǒ huì jué de gū dú jì mò

我会觉得孤独寂寞，

miǎo xiǎo rú cǎo

渺小如草。

yú shì wǒ xùn sù chū fā

于是我迅速出发，

pǎo a

跑啊……

lái dào nǐ de miàn qián

来到你的面前！

在幼儿园学过的人生道理①

[美国] 罗伯特·福尔格姆

这些道理，你真的都在幼儿园里学过了吗？

仔细看一看，如果哪一条还没有学过，现在赶紧补上吧。这些简单的道理，也请你一生牢记。

关于如何生活、如何行事、如何做人方面，我所需要知道的一切都早在幼儿园里就学过。智慧并不在研究生院那高不可攀的山峰上，而是在儿童玩耍的沙堆里：

---

① 选自《那些人生中最重要的道理我在幼儿园里都学过了》，罗伯特·福尔格姆著，钱清、李晓霞译，中信出版社，2003年。有删节。

- 与人分享一切。

- 做事公平。

- 不打人。

- 物归原处。

- 做事整洁。

- 不拿别人的东西。

- 弄伤别人，赔礼道歉。

- 饭前洗手。

- 便后冲洗。

- 生活保持平衡——每天都有时间学习、思考、绘画、唱歌、跳舞、玩耍以及劳动。

- 出门在外注意交通，与人携手，团结一致。

- 留意奇特现象。记住花盆里的小种子：根朝下，植株朝上。谁都不清楚原因何在。

- 金鱼、田鼠、小白鼠——甚至连花盆里的小种子都会死亡。我们人也是如此。

- 记住在儿童学习入门书里你学到的第一个生字——也是最重要的一个字——是一个大大的"看"字。

勇气

[美国] 伯纳德·韦伯

害怕有多少种，勇气就有多少种。下面的各种勇气中，你已经自豪地拥有了哪几种呢？

勇气有很多种。

有的令人敬畏。

有的平平常常。

勇气，是你有两块糖，却能留下一块到第二天。

勇气，是晚上由你负责查看房间里的动静。

---

① 选自《勇气》，伯纳德·韦伯著，阿甲译，南海出版公司，2010年。有删节。

勇气，是刚搬到新地方，

你大方地说："嗨，我的名字

叫伟利，你们呢？"

勇气，是读侦探小说时不

先翻到最后几页，偷看"到底

是谁干的"。

勇气，是和别人吵架后你

先去讲和。

勇气，是改掉坏习惯。

勇气，是你决定去理

个发。

勇气，是努力藏起你小

气 、 嫉 妒 的 一 面 。

勇 气 ， 是 再 来 一 次 。

勇 气 ， 是 必 要 时 说 再 见 。

勇 气 ， 是 我 们 相 互 给 予
的 东 西 。

不大不小的我

我会把你再生出来①

叶特生

生命只有一次，大江健三郎的妈妈所说的话，是为了安慰和鼓励他。你不必在意"再生出来"是真是假，但要记得，每个人都可以像大江健三郎一样，充满希望，奋发向上。

诺贝尔文学奖获得者大江健三郎在作品自述中提到，他小时候很怕死。有一次因病住院，哭闹不休，不肯让家人离开。后来母亲对他说："放心吧！若是你真的死了，我会把

---

① 选自《中外文摘》，2011年第7期。

你再生出来！"

于是他安心了。不久，他又很不放心地跟母亲说："假如将来的我生下来后，怎么会知道现在的我是什么样子呢？"母亲说："我把你所讲的话、所做的事，一件一件记下来，叫他好好学你。"

从此以后，他就小心自己的言行，不但不再惧怕死亡，而且充满希望，奋发向上，做好自己的榜样。

30

自然与四季

认识了小小的"我",再来认识一个大大的自然吧。"我"在一天一天地长大,自然界也有它的童年和少年吗?

你来到这个世界上已经有六年多了,经历了六个春夏秋冬,你是否已经渐渐懂得了四季,懂得了时间?

试一试,从下面一组诗文里,找到那些与时间和四季有关的字词。

混沌初开[1]
hùn dùn chū kāi

　　《幼学琼林》是古代一部专门为儿童写的书，一共四卷。这部书内容广博，全都用对偶句写成，便于小朋友朗读和背诵。这里选的是第一卷的开头几句，说的是天、地、日、月、星辰的形成。

hùn dùn chū kāi　　qián kūn shǐ diàn
混沌初开，乾坤始奠。

qì　zhī qīng qīng shàng fú　zhě wéi tiān　　qì
气之轻清上浮者为天，气

zhī zhòng zhuó xià níng zhě wéi dì
之重浊下凝者为地。

rì yuè wǔ xīng[2]　　wèi zhī qī zhèng[3]
日月五星②，谓之七政③；

---

① 选自《幼学琼林》，程登吉撰，邹圣脉增补，黄山书社，2011年。题目为编者所加。

② 五星：指水、木、金、火、土五大行星。

③ 七政：古代天文术语。

天地与人，谓之三才。

日为众阳之宗，月乃太阴①之象。

曰春夏②

春、夏、秋、冬代表时间的变化，东、西、南、北、中代表空间的方位。金、木、水、火、土是古人认为的构成万物的五大要素，仁、义、礼、智、信是人应该具备的重要品行。如果你不太明白这些字的含义，可以问老师和家长，也可以试着翻开字典查一查。

---

① 太阴：日、月对举，日称太阳，月称太阴。
② 选自《三字经》，上海古籍出版社，2007年。题目为编者所加。

yuē chūn xià　　yuē qiū dōng
曰春夏，曰秋冬。

cǐ sì shí　　yùn bù qióng
此四时，运不穷①。

yuē nán běi　　yuē xī dōng
曰南北，曰西东。

cǐ sì fāng　　yìng hū zhōng
此四方，应乎中②。

yuē shuǐ huǒ　　mù jīn tǔ
曰水火，木金土。

cǐ wǔ xíng　　běn hū shù
此五行，本乎数。

yuē rén yì　　lǐ zhì xìn
曰仁义，礼智信。

cǐ wǔ cháng　　bù róng wěn
此五常，不容紊③。

---

① 穷：穷尽，结束。

② 应乎中：和中相对应。

③ 紊：乱。

春歌二十首（其一）①
（chūn gē èr shí shǒu qí yī）

《子夜四时歌》相传是一位叫作子夜的女子创作的，包括春歌、夏歌、秋歌、冬歌，又叫《四时歌》。

这首诗是春歌第一首。描写春天来了，万物复苏，山林换了新装，鸟儿愉快地歌唱。想象一下：每当春回大地，春风吹拂着你的脸，你的心里是不是也会感到非常喜悦？

春风动春心，
（chūn fēng dòng chūn xīn）

流目瞩山林。
（liú mù zhǔ shān lín）

山林多奇采，
（shān lín duō qí cǎi）

阳鸟②吐清音。
（yáng niǎo tǔ qīng yīn）

---

① 选自《乐府诗集》，郭茂倩编，人民文学出版社，2010年。

② 阳鸟：春天的鸟。

九日龙山饮①

_{jiǔ rì lóng shān yǐn}

[唐] 李白

  阴历九月九日是重阳节，古人在重阳节有登山、饮酒、赏菊的风俗。这首诗写的就是那天的情景。秋天菊花黄、枫叶红，让我们也一起去登山吧。

九日②龙山饮，

黄花笑逐臣。

醉看风落帽，

舞爱月留人。

---

① 选自《李太白全集》，中华书局，2011年。

② 九日：阴历九月九日。

雪 ①
_{xuě}

　　[唐] 张打油

　　你听说过"打油诗"的说法吗？据说，"打油诗"得名于唐代诗人张打油。他的诗通俗易懂，幽默有趣，后来人们便把这种风格的诗歌称为"打油诗"。这首打油诗写的是冬季下雪天的情景，你觉得有意思吗？

江山一笼统 ②，

井上黑窟窿。

黄狗身上白，

白狗身上肿。

---

① 选自《升庵诗话补遗》，杨慎撰，中华书局，1985年。
② 江山一笼统：指江山全都被雪覆盖了。

孩子们的话

　　童谣是孩子们的语言，也是天使的语言。从童谣可以读出各地儿童的语言习惯，也能看到各地的民俗。这一组"孩子们的话"，既有我国各地的儿歌，也有外国不同地方的作品。童谣也许只有孩子们自己最理解。如果喜欢，你就大声地念出来吧。

cóng qián yǒu zuò shān   shān li yǒu zuò miào

从前有座山，山里有座庙

这首儿歌你一定听过吧？它重复不停，像是一首永远唱不完的歌。其实，故事本来就是这样的啊：故事被人们不停地讲呀讲呀，连讲故事的人都变成"故事"啦……

从前有座山，山里有座庙，庙里有个老和尚在讲故事。讲的什么故事呢？讲的是：从前有座山，山里有座庙，庙里有个老和尚在讲故事……

xiǎo xiǎo tóng yáo
小小童谣

　　这是一组来自各地的小小童谣，读一读，就能多少了解一些各地孩子们的生活。大家虽然风俗不同，方言口音也不一样，但天真快乐可是一模一样的啊。

xiǎo mù wǎn
小 木 碗 ①

xiǎo mù wǎn
小 木 碗，

yuán liū liū
圆 溜 溜，

ǎn dào lǎo lao jiā zhù yì qiū
俺 到 姥 姥 家 住 一 秋。

---

① 山东兖州童谣。

jī gōng gong
鸡公公 ①

jī gōng gong
鸡公公，

jí cōng cōng
急匆匆，

tuó dài mǐ
驮袋米，

kàn wài gōng
看外公。

yuè gōng gōng
月宫宫 ②

yuè gōng gōng
月宫宫，

yuè líng lóng
月玲珑，

qí bái mǎ
骑白马，

qù xiān gōng
去仙宫。

① 江西南昌童谣。
② 浙江湖州童谣。

兜兜虫① (dōu dōu chóng)

兜兜虫，(dōu dōu chóng)
虫袅袅；(chóng niǎo niǎo)
兜兜鸟，(dōu dōu niǎo)
鸟会叫；(niǎo huì jiào)
兜兜鸡，(dōu dōu jī)
鸡会啼；(jī huì tí)
兜兜蝴蝶飞过溪。(dōu dōu hú dié fēi guò xī)

---

① 浙江温岭童谣。兜兜，表示两只鸟碰嘴的样子。这一类童谣中国各地都有，其他地方采集的童谣写作"斗斗"或"逗逗"。在念的时候，儿童用两手食指对着点碰。

chóng chong fēi
虫虫飞 ①

chóng chong fēi　　　chóng chong fēi
虫 虫 飞 ，　虫 虫 飞 ，

fēi　dào　nán　shān　chī　lù　shui
飞 到 南 山 吃 露 水 。

lù　shui　chī　bu　dào
露 水 吃 不 到 ，

huí　lái　chī　qīng　cǎo
回 来 吃 青 草 。

chóng chong chóng chong fēi
虫 虫 虫 虫 飞 ，

fēi　dào　nán　shān　chī　lù　shui
飞 到 南 山 吃 露 水 ，

lù　shui　chī　bǎo　le
露 水 吃 饱 了 ，

huí　tóu　jiù　pǎo　le
回 头 就 跑 了 。

---

① 江苏童谣。

xiǎo xīng xing

小星星①

你留意过夜空中的星星吗？它一闪一闪的，像什么？朗读下面这首诗，看看别人是怎么说的吧。

yì shǎn yì shǎn xiǎo xīng xing
一闪一闪小星星，

wǒ xiǎng zhī dào nǐ shì shuí
我想知道你是谁。

guà zài tiān shang nà me gāo
挂在天上那么高，

hǎo sì zuàn shí mǎn tiān kōng
好似钻石满天空。

xī yáng xī xià yè lái dào
夕阳西下夜来到，

lù shuǐ shī rùn qīng qīng cǎo
露水湿润青青草。

---

① 选自《美国语文》（第二册），威廉·H. 麦加菲编，范晓伟译，天津社会科学院出版社，2012年。

nǐ biàn fā chū wēi ruò guāng
你 便 发 出 微 弱 光 ，

yì shǎn yì shǎn zhào yè kōng
一 闪 一 闪 照 夜 空 。

dāng wǒ shēn chǔ hēi àn zhōng
当 我 身 处 黑 暗 中 ，

gǎn xiè fā chū guāng shǎn shuò
感 谢 发 出 光 闪 烁 。

méi yǒu nǐ de shǎn shǎn liàng
没 有 你 的 闪 闪 亮 ，

wú rén gěi wǒ zhǐ fāng xiàng
无 人 给 我 指 方 向 。

dāng wǒ yè jiān xiāng tián shuì
当 我 夜 间 香 甜 睡 ，

chuāng wài yǒu nǐ shí tōu kuī
窗 外 有 你 时 偷 窥 。

cóng wèi bì shang liàng yǎn jing
从 未 闭 上 亮 眼 睛 ，

zhí dào xù rì zài shēng qǐ
直 到 旭 日 再 升 起 。

孩子们自己的话[①]

[意大利] 姜尼·罗大里

你是否也"创造"过大人们听不懂的语言？爸爸妈妈是不是管它叫"火星语"？一说起这样的"火星语"，你就忍不住要哈哈大笑吧？——大人们真傻，连这个都听不懂，哈哈。

其实爸爸妈妈小时候也说"火星语"的，后来他们长大了，就忘记了。你赶紧帮他们回忆一下吧。大家一起哇啦哇啦，一起回到童年，多好啊！

两个孩子在安静的院子里玩得真高兴。他们创造了一些

---

① 选自《世界文学大师写给孩子的心灵启蒙·纯美卷》，龚勋主编，重庆出版社，2011年。

只有他们自己明白的话，别人可一点儿都听不懂。

"呗利佛，呗拉佛。"第一个孩子说。

"呗拉佛，呗洛佛。"第二个孩子回答，然后两人开怀大笑。

第二层楼的阳台上，有一个好好的老先生在看报，他对面的窗子里，一个不好也不坏的老太太探出头来。

"这两个孩子都是笨蛋。"

老太太说。

但是那位和善的老先生提出了异议:"我可不这样认为。"

"那你能听懂他们在说什么吗?"

"第一个孩子说:'今天天气真好。'第二个孩子回答:'明天天气会更好。'"

老太太看上去不太服气,但也只好不说话了,因为孩子们又开始讲只有他们自己明白的话了。

"马拉斯基，巴拉巴斯基，比里莫斯基。"第一个孩子说。

"呗洛佛。"第二个回答。

他们俩又在下面放声大笑。

"难道这样的话你也能听懂？"老太太生气地对老先生说。

"其实我都懂。"老先生笑着说，"第一个小孩说：'我们在这世界上是多么幸福呀。'第二个回答：'是呀，这世界真是太漂亮了。'"

“真漂亮，是吗？”老太太不生气了，她若有所思地说。

“呗利佛，呗拉佛，呗洛佛。”老先生回答。

我的朋友们

　　你喜欢去动物园吗？对毛茸茸的小动物是否特别有兴趣？你是不是很想自己养一只小动物，把它当朋友，每天照顾它，和它一起玩耍？其实，养不养小动物并不重要，重要的是要有一颗关爱动物的心。只要有心，你就是动物最好的朋友！

<ruby>迷<rt>mí</rt></ruby><ruby>路<rt>lù</rt></ruby><ruby>的<rt>de</rt></ruby><ruby>小<rt>xiǎo</rt></ruby><ruby>鸡<rt>jī</rt></ruby>①

这只迷路的小鸡多让人着急呀。如果想到小动物也有它们的家庭，它们的生活，我们就会格外关爱它们。如果想到可爱的大熊猫、藏羚羊等珍稀动物都越来越少，接近灭绝了，我们就会格外珍惜它们。

阅读时想一想:除了小鸡的叫声是"叽叽叽"，你还能说出多少种动物的叫声?

<ruby>叽<rt>jī</rt></ruby><ruby>叽<rt>jī</rt></ruby>，<ruby>叽<rt>jī</rt></ruby><ruby>叽<rt>jī</rt></ruby>！<ruby>小<rt>xiǎo</rt></ruby><ruby>鸡<rt>jī</rt></ruby>，<ruby>你<rt>nǐ</rt></ruby><ruby>去<rt>qù</rt></ruby><ruby>哪<rt>nǎ</rt></ruby><ruby>儿<rt>er</rt></ruby><ruby>了<rt>le</rt></ruby>？

<ruby>你<rt>nǐ</rt></ruby><ruby>迷<rt>mí</rt></ruby><ruby>路<rt>lù</rt></ruby><ruby>了<rt>le</rt></ruby><ruby>吗<rt>ma</rt></ruby>？<ruby>你<rt>nǐ</rt></ruby><ruby>回<rt>huí</rt></ruby><ruby>不<rt>bu</rt></ruby><ruby>到<rt>dào</rt></ruby><ruby>母<rt>mǔ</rt></ruby><ruby>鸡<rt>jī</rt></ruby><ruby>妈<rt>mā</rt></ruby><ruby>妈<rt>ma</rt></ruby><ruby>身<rt>shēn</rt></ruby><ruby>边<rt>biān</rt></ruby><ruby>了<rt>le</rt></ruby><ruby>吗<rt>ma</rt></ruby>？

---

① 选自《美国语文》（第一册），威廉·H. 麦加菲编，范晓伟译，天津社会科学院出版社，2012年。

噢，你在这儿！我会带你回去。这儿，母鸡，把这只小鸡放在你的翅膀下。

现在，小鸡，在你的身下藏好你淋湿的小脚丫，然后去睡一会儿。

叽叽，叽叽！小鸡现在感觉多么安全哪！

má què
麻雀①

　　你有没有近距离观察过小鸟？能试着形容一下小鸟的样子，包括颜色、大小、眼睛和嘴巴吗？

　　朗读这首诗，注意语气，边读边想象那只可爱的小麻雀就在跟前。

xiǎo niǎo　　hěn gāo xìng jiàn dào nǐ
1.小鸟，很高兴见到你，

wǒ tīng dào nǐ xiǎo shēng jī jī jiào
我听到你小声叽叽叫。

nǐ xiǎng shuō xiē shén me
你想说些什么？

lěng tiān li gěi wǒ diǎn er dōng xi chī
"冷天里给我点儿东西吃？"

---

① 选自《美国语文》（第二册），威廉·H. 麦加菲编，范晓伟译，天津社会科学院出版社，2012年。

2. <ruby>我<rt>wǒ</rt></ruby> <ruby>愿<rt>yuàn</rt></ruby> <ruby>意<rt>yì</rt></ruby> <ruby>为<rt>wèi</rt></ruby> <ruby>你<rt>nǐ</rt></ruby> <ruby>备<rt>bèi</rt></ruby> <ruby>好<rt>hǎo</rt></ruby> <ruby>足<rt>zú</rt></ruby> <ruby>够<rt>gòu</rt></ruby> <ruby>食<rt>shí</rt></ruby> <ruby>物<rt>wù</rt></ruby>，

<ruby>为<rt>wèi</rt></ruby> <ruby>你<rt>nǐ</rt></ruby> <ruby>保<rt>bǎo</rt></ruby> <ruby>存<rt>cún</rt></ruby> <ruby>所<rt>suǒ</rt></ruby> <ruby>有<rt>yǒu</rt></ruby> <ruby>面<rt>miàn</rt></ruby> <ruby>包<rt>bāo</rt></ruby> <ruby>屑<rt>xiè</rt></ruby>。

<ruby>不<rt>bú</rt></ruby> <ruby>要<rt>yào</rt></ruby> <ruby>害<rt>hài</rt></ruby> <ruby>怕<rt>pà</rt></ruby>，<ruby>是<rt>shì</rt></ruby> <ruby>我<rt>wǒ</rt></ruby> <ruby>请<rt>qǐng</rt></ruby> <ruby>客<rt>kè</rt></ruby>，

<ruby>我<rt>wǒ</rt></ruby> <ruby>会<rt>huì</rt></ruby> <ruby>等<rt>děng</rt></ruby> <ruby>你<rt>nǐ</rt></ruby>，<ruby>看<rt>kàn</rt></ruby> <ruby>你<rt>nǐ</rt></ruby> <ruby>享<rt>xiǎng</rt></ruby> <ruby>用<rt>yòng</rt></ruby>。

3. <ruby>我<rt>wǒ</rt></ruby> <ruby>听<rt>tīng</rt></ruby> <ruby>说<rt>shuō</rt></ruby> <ruby>很<rt>hěn</rt></ruby> <ruby>多<rt>duō</rt></ruby> <ruby>你<rt>nǐ</rt></ruby> <ruby>的<rt>de</rt></ruby> <ruby>可<rt>kě</rt></ruby> <ruby>怕<rt>pà</rt></ruby> <ruby>传<rt>chuán</rt></ruby> <ruby>言<rt>yán</rt></ruby>，

<ruby>喳<rt>zhā</rt></ruby> <ruby>喳<rt>zhā</rt></ruby> <ruby>喳<rt>zhā</rt></ruby>，<ruby>告<rt>gào</rt></ruby> <ruby>诉<rt>sù</rt></ruby> <ruby>我<rt>wǒ</rt></ruby>，<ruby>这<rt>zhè</rt></ruby> <ruby>些<rt>xiē</rt></ruby> <ruby>是<rt>shì</rt></ruby>

<ruby>真<rt>zhēn</rt></ruby> <ruby>的<rt>de</rt></ruby> <ruby>吗<rt>ma</rt></ruby>？

zhěng gè xià tiān dōu zài qiǎng duó

整 个 夏 天 都 在 抢 夺 ,

nǐ bù jué de zhè bú duì ma

你 不 觉 得 这 不 对 吗 ?

tuō mǎ sī shuō nǐ tōu le tā de xiǎo mài

4. 托 马 斯 说 你 偷 了 他 的 小 麦 ,

yuē hàn bào yuàn nǐ chī le tā de méi zi

约 翰 抱 怨 你 吃 了 他 的 梅 子 。

xuǎn zé zuì chéng shú de shí wù chī diào

选 择 最 成 熟 的 食 物 吃 掉 ,

cóng méi wèn guo tā men shǔ yú shuí

从 没 问 过 它 们 属 于 谁 。

dàn wǒ bù xiǎng zhī dào

5. 但 我 不 想 知 道 ,

hěn jiǔ yǐ qián nǐ zuò guo shén me

很 久 以 前 你 做 过 什 么 。

chī ba zhè shì nǐ de zǎo cān

吃 吧 , 这 是 你 的 早 餐 ,

jì de měi tiān dōu lái kàn wǒ

记 得 每 天 都 来 看 我 。

qīn ài de xiǎo yú
亲 爱 的 小 鱼 ①

[法国] 安德烈·德昂

你能说出几种鱼的名字？说说你所知道的最大的和最小的鱼。是每一种鱼的名字里都有一个"鱼"字吗？

qīn ài de xiǎo yú　　wǒ shì duō me de
亲 爱 的 小 鱼 ， 我 是 多 么 地
ài nǐ
爱 你 。

wǒ wèi nǐ miàn bāo　　kàn zhe nǐ màn màn
我 喂 你 面 包 ， 看 着 你 慢 慢
zhǎng dà
长 大 ，

měi tiān　　wǒ dōu yào gěi nǐ yí gè tián
每 天 ， 我 都 要 给 你 一 个 甜
mì de wěn
蜜 的 吻 ，

---

① 选自《世界文学大师写给孩子的心灵启蒙·真爱卷》，龚勋主编，重庆出版社，2011年。

我保证，我永远不会忘记。

可是，我亲爱的小鱼，

当你长得那么大，大到再

也不能在鱼缸里游来游去，

我会把你带到海边，

轻轻一倾，你又会拥有自

由的生命。

我会非常想念你，亲爱的

小鱼。

每天，我会坐着等你，

期望有一天你能游回这里。

每夜，我依然在等你，
期望有一天能看到你的
身影。

我把帽子抛向大海，
希望你能戴着它回来找我。

你果真戴着帽子回来了，
这是我的第一个惊喜。

你的背是我最心爱的小船，

载着我，在大海里自由航行。

漂呀，漂呀，来到一座漂亮的海岛。

那儿有一片茂密的丛林，

我们整天在丛林里嬉戏，玩耍。

慢慢地，我会明白你对我的爱，

因为当我给了你自由，

你却仍然愿意回到我的身边。

小鲫鱼和小猫[①]

[日本] 滨田广介

在自然界中，小猫和小鱼是朋友还是敌人？想一想，如果有一颗善良的爱心，敌人是不是也能成为朋友？你觉得这篇童话中的小猫做得对吗？

从前，有一只白色的小猫。

一天，它在屋后的水田边散步，不一会儿，就走上了窄窄的田埂。

水田中有一条漂亮的小

---

① 选自《世界文学大师写给孩子的心灵启蒙·真爱卷》，龚勋主编，重庆出版社，2011年。

鲫鱼，它透过水面，看到了小白猫。小鲫鱼问道："你是谁啊？"

"我的名字叫小白猫。"小白猫边说边用它那双圆溜溜的眼睛看着小鲫鱼。

这时，水田里的鲫鱼妈妈游到了小鲫鱼身边，用警告的语气对小鲫鱼说："我的孩子，千万不要同小猫讲话呀，快悄悄地躲开吧，别吵嚷！知道吗？"

“可是，为什么呢？”

“要是被那家伙抓住的话，你就完了。”

小鲫鱼不太明白。它悄悄地浮在水中，望着田埂上的小白猫。

“我妈妈说你会抓我，这是真的吗？”

“不会的，不会的，我不抓你，可爱的小鲫鱼。”

说着，小白猫轻轻地走开了。

小白猫在附近散了会儿步，很快就回家了。

猫爸爸在走廊上睡觉，小白猫来到爸爸身边。

"刚刚我在水田里看到一条小鲫鱼，爸爸。"

"宝贝，它在水田的什么

66

dì fang
地方？”猫爸爸问。

jiù zài shuǐ tián biān shang yí gè hěn
“就在水田边上，一个很

qiǎn de shuǐ kēng li
浅的水坑里。”

nǐ wèi shén me bù zhuā zhù tā ne
“你为什么不抓住它呢？

zhǐ yào nǐ shēn chū qián zhǎo jiù kě yǐ zhuā zhù
只要你伸出前爪就可以抓住

tā le
它了！”

wǒ méi yǒu zhuā tā
“我没有抓它。”

我的朋友们

"要抓住它，它的肉可好吃了。"

小猫却摇摇头："我还是不吃它吧！它那么小，还是一个很可爱的孩子呢。"

小白猫的脖子上挂着一只小铃铛。

"是呀，是呀！真是一个聪明的孩子。"小铃铛欢快地说着，"丁零、丁零"，发出一阵细柔悦耳的声音。

孤陋寡闻的小狐狸[①]

gū lòu guǎ wén de xiǎo hú li

〔苏联〕维·比安基

小狐狸分不清老鼠与鼩鼱，结果上了大当，嘴巴臭了好几天。下次再遇到这样的情况，它一定会吸取教训吧？读过文章后，你能说出老鼠与鼩鼱的主要区别吗？

小狐狸在林中空地上发现了一串类似于老鼠的脚印。

"哈哈，"小狐狸想，"这下可以美餐一顿了！"

小狐狸顺着脚印往前寻找

---

① 选自《森林报》，维·比安基著，王兰霞、高春、夏晓萌译，北京燕山出版社，2011年。

着，想要看看到底是什么小东
西，找着找着，脚印消失了——
就在灌木丛下！

小狐狸悄悄地向灌木丛
靠近。

终于看见了，雪地里有
个灰色皮毛、长着尾巴的小家
伙在颤动，哈哈！小狐狸一
把抓住它！一下塞到嘴里——
咯吱！

噗噜！好难闻的一股臭
气！小狐狸哇的一声吐出小怪

兽，落荒而逃，还大口大口地
往嘴里塞雪，赶紧用雪来把嘴
涮洗一下吧！

送到嘴边的早餐没吃成，
还白白咬死了那小怪兽！

原来那小东西既不是老鼠，
也不是田鼠，而是鼩鼱。

这鼩鼱只是远远看去长得
有点儿像老鼠，但近看很快就
能发现区别：鼩鼱的嘴伸得很
长，后背凸起，是一种食虫动
物，与鼹鼠、刺猬相似。那

些见多识广、阅历丰富的野兽
是不会去碰它们的，因为它们
会放出一股很难闻很难闻的气
味。而那小狐狸对此却一无所
知，上了大当。

72

亲子寓言

寓言是智者的语言，不仅故事吸引人，里边还包含着一些做人做事的道理。读寓言挺好玩，但也别忘了想道理。最好是亲子共读；也可以父母朗读，孩子复述。读完之后，不妨做一次家庭讨论哦。

这一组寓言的主题都与"正确认识自己"有关。这可是每个人值得思考一生的问题，我们何不从童年做起？

大鼓 [1]

海代泉

想一想，为什么大鼓越是"腹内空空"就越是"吹得厉害"？你还能想到其他一些像大鼓这样的东西吗？

有一个大鼓，只要鼓槌轻轻碰它一下，它就要大喊大叫："我是天才，我是世上最响的鼓。"

大鼓为什么爱这样大喊大

---

[1] 选自《中国当代儿童文学精品·寓言故事卷》，陈美兰、张明主编，长江文艺出版社，1994年。

叫 呢 ？ 鼓 槌 觉 得 很 奇 怪 。 有 一
天 ， 鼓 槌 把 这 个 大 鼓 的 鼓 皮 打
破 了 一 个 洞 ， 它 把 头 伸 进 去 一
看 ， 哎 呀 ， 原 来 大 鼓 的 腹 内 空
空 如 也 。 鼓 槌 终 于 弄 明 白 了 ，
肚 子 越 空 的 越 吹 得 厉 害 。

xué tiān é de yā
学 天 鹅 的 鸭 ①

鸭子并不都是能变成天鹅的"丑小鸭"。其实，做一只普通快乐的小鸭子也很好，何必强求自己成为一只天鹅呢！

yǒu yì zhī yā　　yǔ máo xiàng bái xuě yì
有 一 只 鸭 ， 羽 毛 像 白 雪 一

bān bái　　suǒ yǐ tā hěn jiāo ào　　yǐ wéi zì
般 白 。 所 以 他 很 骄 傲 ， 以 为 自

jǐ shì yì zhī tiān é　　gāo chū le píng cháng de
己 是 一 只 天 鹅 ， 高 出 了 平 常 的

yā jǐ bèi　　yú shì tā lí kāi le yā qún
鸭 几 倍 。 于 是 他 离 开 了 鸭 群 ，

dú zì zài shuǐ li yóu zhe　　tā yǒu shí shēn shen
独 自 在 水 里 游 着 。 他 有 时 伸 伸

jǐng　　xué tiān é de yàng zi　　dàn shì tā de
颈 ， 学 天 鹅 的 样 子 ， 但 是 他 的

① 选自《德国寓言》，章任光编著，海豚出版社，2012年。

颈实在太短了，凭他怎样地用力，总不能像天鹅那般地伸缩自如；他有时学天鹅的顾盼，但是他的颈太硬直了，总不能像天鹅那般顾盼生姿。结果，他仍然是一只极普通的鸭，没有人把他当作天鹅。

世界上类似的鸭，正有许多！他们没有能高飞的翼，没有好看的颈，却自以为是天鹅！结果，不过被旁人笑话罢了。

nóng fū hé tā de hái zi men
农 夫 和 他 的 孩 子 们①

古希腊很多有趣的民间故事，经后人加工，编为《伊索寓言》。这是世界上最早的寓言故事集，你的爷爷、奶奶、爸爸、妈妈或许也读过。

nóng fū lín zhōng shí xiǎng ràng tā de
农 夫 临 终 时 ， 想 让 他 的

hái zi men dǒng de zěn yàng zhòng dì jiù bǎ
孩 子 们 懂 得 怎 样 种 地 ， 就 把

tā men jiào dào gēn qián shuō dào hái zi
他 们 叫 到 跟 前 ， 说 道 ："孩 子

men pú tao yuán li yǒu gè dì fang mái cáng zhe
们 ， 葡 萄 园 里 有 个 地 方 埋 藏 着

cái bǎo nóng fū sǐ hòu hái zi men yòng
财 宝 。"农 夫 死 后 ， 孩 子 们 用

lí tóu hé hè zuǐ chú bǎ tǔ dì dōu fān le yí
犁 头 和 鹤 嘴 锄 把 土 地 都 翻 了 一

---

① 选自《伊索寓言》，罗念生等译，人民文学出版社，1981年。

^{biàn}
遍。他们没有找到财宝，可是

^{pú tao què duō le jǐ bèi de shōu cheng}
葡萄却多了几倍的收成。

^{zhè gù shi shì shuō qín láo jiù shì rén}
这故事是说，勤劳就是人

^{men de cái bǎo}
们的财宝。

空中楼阁[①]
^{kōng zhōng lóu gé}

［印度］穆·拉·安纳德

　　这个印度"幻想家"做的美梦多好啊！但是，当他最终一脚踢碎了面前的玻璃和陶罐，他的美梦就像一个五彩的肥皂泡一样，"砰"的一声破碎了。

---

① 选自《印度童话集》，谢冰心译，中国青年出版社，1955年。有改动。

从前，在印度有一个婆罗门①，他不做工，整天胡思乱想。有一天他的母亲责备他浪费时间，劝他去进一个行业。恰好那时候他也正在埋怨自己，就听从他母亲的劝诫。问题是：他应当干哪一行呢？做僧官，他没有学问；要当兵，他的身体又太弱，并且他是一个婆罗门，不应当做劳力的工作。因此他就决定做一个

---

① 婆罗门：古印度四个种姓之一。居于种姓之首，享有种种特权。

shāng rén
商人。

mǔ qīn wèn nǐ xiǎng mài shén me
母亲问："你想卖什么

ne tā duì tā tí le xǔ duō kě yǐ mài
呢?"她对他提了许多可以卖

de dōng xi liáng shi la bù pǐ la diǎn
的东西:粮食啦,布匹啦,点

xin la dàn shì tā bǎ zhè xiē yì jiàn dōu
心啦……但是他把这些意见都

shuǎi zài yì biān shuō tā yào mài xiē bō li zhuó
甩在一边,说他要卖些玻璃镯

zi hé yòu cǎi de pén guàn shén me de
子和釉彩的盆罐什么的。

mǔ qīn gěi tā běn qián qù zuò zhè xiàng mǎi
母亲给他本钱去做这项买

mai tā jiù qù pī fā le yì kuāng bō li qì
卖。他就去批发了一筐玻璃器

mǐn zuò zài shì jí li děng dài gù kè
皿,坐在市集里等待顾客。

tài yáng zhào zài bō li qì mǐn shang fā
太阳照在玻璃器皿上,发

chū yào yǎn de cǎi guāng nà cǎi guāng bǎ tā de
出耀眼的彩光,那彩光把他的

幻想高高地引到了天上去。他想：今天我要得利一成，才肯把这些东西卖出去，我要用这笔钱去买些假珠子，当作真珠子卖出去。我一定会赚到一百个卢比。再用这笔钱去买几只山羊。每六个月山羊就会生小羊羔，这样，我就会有一大群羊了。我把山羊卖了，再买几只母牛。母牛一生小牛，我就把小牛卖了去换水牛。我用卖水牛的利润，再去买母马。母马再生小马，我就有好多匹马了。我卖了这些马，就可以赚到许多金子。我用这些金子在山顶上盖一座宫殿，里面点缀许多亭台楼阁。哈斯提那菩拉的国王听说了，就要陪送许多嫁妆把他的女儿喀沙雅嫁给我。我接受了这门亲事，还和她生下一个儿子。等到这孩子大到能在我膝上跳跃的时候，我就坐在宫廷里，把他叫来跟我玩。因为他太淘气，把我惹

急了，我就打他骂他。他就大
声哭叫，我就叫我的老婆来把
他抱走。她正忙着做些家务，
我就起来狠狠地踢她一脚，她
以后就不敢再耍懒骨头了。

他想得太起劲了，幻想变成了行动。他狠狠地踢了一脚，把筐里所有的玻璃玩意儿和陶器，都踢碎在他面前的地上了。

踩着面包走路的女孩 ①

[丹麦] 安徒生

爱惜粮食，尊重劳动，这是古今中外的孩子都要接受的教育。你是不是在幼儿园时就会背诵"谁知盘中餐，粒粒皆辛苦"？看一看童话大王安徒生是怎么惩罚浪费粮食的英格儿的。不过不用怕，不浪费粮食的孩子是绝不会碰到这样的事情的。

从前，有个穷人家的女孩子叫英格儿，长得十分美丽。可是英格儿很任性，她常把蝴

---

① 选自《全球孩子都喜欢的108个经典大童话·百年荣誉篇》，浙江少年儿童出版社，2006年。王小民改编。

86

蝶的双翅扯下来，让它像小虫子一样在地上爬。

英格儿长大一点儿后，到一个有钱人家去做女佣。这家人对她不错，这一来，英格儿越发任性了。

过了一年，主人让英格儿回去看望父母。临行时，主人把英格儿打扮得漂漂亮亮，还给她一个长面包。

英格儿穿着新衣服、新皮鞋来到沼泽地前，她不想弄脏衣服和鞋子，就把那个长面包放在了沼泽地上，准备踩在面包上行走。

可英格儿的脚刚踩到面包，面包就与她一起沉了下去。

英格儿踩着面包往下沉时，身边已经布满了毒蛇和老蛤蟆，把她吓得半死。英格儿最后沉到了地狱里，变成了一块冰冷的石头。

大人们把英格儿的故事讲给孩子们听，教育他们爱惜粮食，千万不要任性胡为。

有一个男孩问："如果英格儿改正错误了，她会得救吗？"大人们说："英格儿是不会改正错误的。"这话被地狱里的英格儿听到了，她感到很惭愧，决心痛改前非。

说来也怪，当英格儿认识到自己的错误时，一线光明马上射进了黑暗的地狱。英格儿变成一只小鸟飞出来了，重新回到了光明温暖的人间。

笨笨熊

　　本单元的主人公是一组"笨笨熊"。其实，他们是一群不爱动脑筋所以闹出了很多笑话的人。读读这几篇寓言故事，想一想这些人"笨"在哪里。如果你是他们的朋友，会怎样帮助他们解决问题呢？

　　好好动脑筋哦！必要时请与爸爸妈妈一起讨论。

笨仆守门①

bèn pú shǒu mén

第一位"笨笨熊"把"守门"理解成"看住门板"，结果把主人家里的东西丢光了。你觉得他错在哪里？"守门"的意思又是什么呢？

yǒu yí gè rén yào chū mén dào yuǎn fāng
有 一 个 人 要 出 门 到 远 方

qù　　zhǔ fù tā de pú rén shuō　　　nǐ
去 ， 嘱 咐 他 的 仆 人 说 ： " 你

yào kān hǎo mén　　yào yòng shéng zi bǎ lú zi
要 看 好 门 ， 要 用 绳 子 把 驴 子

shuān hǎo
拴 好 。 "

zhǔ rén zǒu le yǐ hòu　　zhè shí lín jìn
主 人 走 了 以 后 ， 这 时 邻 近

cūn zi li zài yǎn xì　　zhè ge pú rén fēi cháng
村 子 里 在 演 戏 ， 这 个 仆 人 非 常

---

① 选自《百喻经译注》，周绍良译注，中华书局，2008年。原题为《奴守门喻》。有删节。

92

想去听，在家里待不下去。他
就把门板卸下，用绳子捆在驴
背上，赶着驴子到演戏的地方
去，听他们演奏。

　　仆人走了以后，家里的财
物被贼偷得干干净净。

　　主人回来，问这个仆人：
"家里的钱财衣物都哪儿
去了？"

　　仆人回答说："主人走时，
交待我的是看好门、驴子和绳
子。除了这些以外，我都不

zhī dào
知道。"

　　　　zhǔ rén yòu shuō　　　　　liú nǐ kān mén
　　主人又说："留你看门,

jiù shì jiào nǐ kān shǒu cái wù　　cái wù jì
就是叫你看守财物。财物既

rán diū le　　zhǐ liú zhe mén hái yǒu shén
然丢了,只留着门还有什

me yòng
么用?"

94

纸上乘船 ①

zhǐ shang chéng chuán

你有没有听说过成语"纸上谈兵"？如果没有，可以去问问老师或父母。然后想一想，下面的故事和这个成语都讲述了什么相似的道理？

从前有一位大富翁的儿子，和一些商人到大海中去采宝。

这位大富翁的儿子会背诵入海驾船的方法，如果船进入大海，遇到有漩涡、回流、礁

---

① 选自《百喻经译注》，周绍良译注，中华书局，2008年。原题为《口诵乘船法而不解用喻》。有删节。

石之类的地方，应该怎样驾，怎样撑，怎样停。他告诉大家说："入海驾船的方法，我全知道。"

大家听了，都相信他的话。

船到了大海中，没有多少时间，船师生了疾病，突然死去。这时大富翁的儿子就代替死去的船师驾驶这条船。

船驶到有漩涡的急流中，他高唱着应当这样驾、这样撑，可是这条船只在水上盘旋

dǎ zhuàn　　bù néng jì xù qián jìn　　méi fǎ dào
打 转 ， 不 能 继 续 前 进 ， 没 法 到

dá cǎi bǎo de dì fang　　yì chuán shāng rén dōu luò
达 采 宝 的 地 方 。 一 船 商 人 都 落

shuǐ ér sǐ
水 而 死 。

zhèng rén mǎi lǚ
郑人买履 [1]

　　第三位"笨笨熊"因为只相信尺码而不相信自己的脚，结果没有买到鞋。你觉得他光着脚丫的样子可笑吗？如果当时你在场，你会怎么帮助他呢？也说给爸妈听听吧。

zhèng guó yǒu gè rén zhǔn bèi qù mǎi yì shuāng
郑 国 有 个 人 准 备 去 买 一 双

---

[1] 选自《中国古代寓言故事精选》，岑献青编写，中国少年儿童出版社，2007年。履，鞋。

鞋，他在家里先量好了自己脚的尺码，并把尺码放在了座位上。等到了集市，他才发现没有把尺码带着。他把鞋子拿在手里，说："我忘了带尺码了。"

于是他回家去取尺码。等他再返回时，集市已经散了，结果他没有买到鞋。

有人问他："为什么不用你的脚去试一试呢？"他说："我宁愿相信量好的尺码，也不相信自己的脚。"

jié gān jìn chéng
截竿进城 ①

你觉得这个故事中有几位"笨笨熊"呢？为什么？这根又粗又长的毛竹究竟应该怎样拿进城门里去呢？

lǔ guó yǒu gè rén káng zhe yì gēn yòu cū
鲁国有个人扛着一根又粗

yòu cháng de máo zhú jìn chéng dào le chéng mén
又长的毛竹进城。到了城门

kǒu tā bǎ máo zhú shù qǐ lai ná máo zhú
口，他把毛竹竖起来拿，毛竹

gāo guò le chéng mén bèi chéng mén qiǎ zhù le
高过了城门，被城门卡住了；

tā bǎ máo zhú héng zhe ná máo zhú cháng guò le
他把毛竹横着拿，毛竹长过了

chéng mén bèi liǎng biān de chéng qiáng qiǎ zhù le
城门，被两边的城墙卡住了。

---

① 选自《中国古代寓言故事》，李葭编写，浙江少年儿童出版社，2009年。

他折腾了半天，累得气喘吁吁，还是进不了城。

旁边有个老头边看边乐："你可真是个大草包！脑袋瓜里就只有一根筋！我这一大把年纪，过的桥比你走的路还多，吃的盐比你吃的饭还多，你怎么不请教请教我呢？"

那人连忙向他打躬作揖："说得是，请老丈多多指教！"

老头捋着白胡子，说："这事儿简单，你把毛竹锯为两段，不就可以进去了吗？"

"毛竹锯断就不顶用了。"

"那总比你卡在城外强吧！"

那人想想也对，就借了把

锯子，把毛竹锯断，拿进城去了。

亲子共读·小孩与大人

　　无论社会如何发展，物质生活如何提高，"懂得珍惜和敬畏"永远都是美德。父母把这种美德教给孩子，也许比留给他万贯家财要有益得多。

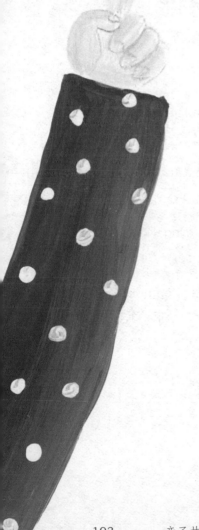

小学生给家长的12条建议[①]

张涛

　　这是一群小学三年级学生写给爸爸妈妈的建议，对于一年级学生的家长来说，同样值得注意。请在一起读完这12条建议之后，问一问孩子："还有什么其他的建议要对爸爸妈妈说吗？"

　　平等开放的对话，是最好的教育方法。

2010年"六一"儿童节前，河北省石家庄市东风西路小学三年级一班的四十多名小学生，共同给家长写了一封信，对家长提出了12条建议：

---

① 选自《中华活页文选》，2010年第11期。

1.请让我们把话讲完您再说，要先知而后行，不要武断；

2.你们的有些错误得允许让我们纠正；

3.不要动不动就发脾气；

4.希望能让我们自己选择业余爱好；

5.在我们写作业时不要打扰；

6.不要让我们学成书呆子，给我们一点儿娱乐的时间；

7.不要经常拿我们跟别

亲子共读·小孩与大人

人 比 ；

8.不要吵架，家庭要和睦；

9.不要用粗暴的语言对
我们 ；

10.要多换位思考，我们
考不好时需要更多谅解；

11.不要说话不算数，做
出的承诺要兑现；

12.我们大胆给你们指出
错误的时候，请尽量接受。

父母的意义①

［美国］史蒂文·兰兹伯格

"父母的意义"是说不完的，这篇文章只是谈到了一个重要的方面，那就是：把人类文明的果实真切具体地传递给每一个孩子，和孩子一起去领略人生，品味情感。

所以，聪明的父母永远不会吝啬与孩子一起读书的时间！

在凯莱还不到三岁时，我带她去看了一次迪斯尼的电影《美女与野兽》。在接近片尾，

---

① 选自《一个经济学家给女儿的忠告》，史蒂文·兰兹伯格著，王楠崇、徐化译，中信出版社、辽宁教育出版社，2003年。题目为编者所加。有删节。

演到野兽死去的时候，凯莱默默地流下了心碎的眼泪。这是一种真实的、深切的情感，一种值得去仔细品味的情感。这时，我想起了一段文章，已经有好多年没有想起过的一段文章，那是惠特克·钱伯斯的《给我孩子们的信》：

"有一次，我没有给约翰讲催眠故事，而是给他读莎士比亚的文章，这完全是他的要求，因为我从来没有强迫你们读这些文章。我读到了这样的章节：麦克白杀死了邓肯，意识到了他对自己的灵魂所做的一切，他问道：'是否要用这世上所有的水才可以洗去他手上的鲜血，或者说要海洋变成红色才可以洗去他手上的鲜血？'这时，约翰的身体不自觉地抽搐了一下。我心里默默地感谢上帝。因为我知道，人们往往为贪婪所困，如果孩子们可以从内心深处感受到对生命和世界的尊敬与敬畏，那么贝多芬和莎士比亚的工作的最终意义也就实现了。"

正是惠特克·钱伯斯，懂得了父母的意义！

大人永远有理吗？[1]

[法国] 碧姬·拉贝、米歇尔·毕奇

大人永远有理吗？——这大概是很多孩子心中都曾闪过的疑问。

怎样让孩子既听话又独立？——这大概是每个家长都很关心的话题。

现在就可以让孩子明白：不仅要学习和接纳，更要思考和表达，在必要的时候，还要敢于怀疑和拒绝。

当我们是孩子的时候，我们要听大人的话，不管是在学校、家里，还是在体育俱乐

---

① 选自《写给孩子的哲学启蒙书》（第四卷），碧姬·拉贝、米歇尔·毕奇著，刘岩、王川娅译，广西师范大学出版社，2007年。原题为《很难拒绝》。有改动。

部……所以，孩子们总认为大人们有权做任何事，也有权让他们做任何事。

但是，身为大人并不意味着有权做任何事情。如果成人忘记了给孩子们解释这一点，孩子们怎么会知道呢？

尽管如此，在一些严重的事件里，比如发生过的一些大人侵害小孩的事件，即便没有人曾告诉过他成人没有权力对孩子做任何事情，他也总有办法知道，既不要听从那个先生的，也不要听从那个女士的。

这个办法就是自己的不安。这种不安，如同消防队的巨大报警器一样，在他内心拉响，目的是警告他处在危险之中。

在我们每个人的心中，都有一个微弱的声音，在发生不正常的、奇怪的事情的时候，这个声音会提醒我们注意。就算我们是孩子，这种声音也是存在的。然而，由于孩子们已

经习惯听从大人的话，他们不
怎么敢听从自己内心的声音：
"我感觉所有的这一切都很不
正常，要拒绝，说'不'！"
孩子不怎么敢逃跑，大
喊，抵抗，也不怎么敢用脚踢
人，用拳头打人，咬人，或是
找一个自己信得过的大人来保
护自己。
当我们是孩子的时候，我
们总以为大人们永远有理，以
至于有时压抑了自己内心中那

个 微 弱 的 声 音 。

如 果 别 人 的 触 摸 令 自 已 感 到 别 扭 ， 就 一 定 要 敢 于 说 "不" 。 在 这 种 情 况 下 ， 不 要 有 疑 问 ， 也 不 要 问 自 己 这 样 做 是 否 有 道 理 。 因 为 如 果 我 们 感 到 不 自 在 ， 感 到 不 安 ， 这 就 已 经 说 明 我 们 是 有 理 由 的 了 。

避雷针^①

bì léi zhēn

赵洪云

保险丝、避雷针，这些日常生活中的普通物品，是怎样与人生道理发生了联系？聪明的父母在传授知识的同时，更注重启发孩子的思考，带领他们发现世间万物的联系，并引导他们自己去感悟人生。

西边有座山，山上有个塔。

雨过天晴，小孩和爸爸去爬山。

爬上山，又爬上塔。

---

① 选自《爸爸与小孩》，赵洪云著，中央广播电视大学出版社，2012年。

小孩发现，塔上有根尖尖的针。

爸爸说，这叫避雷针。

避雷针一端高高地暴露在空中，另一端连着金属丝，接到地下。

可以把雷电引入地下，保护塔身不遭雷击。

小孩问，也是像保险丝那样，牺牲自己，保护别人吗？

爸爸说，好像是这样，好像又不是这样。

小孩问，为什么？

爸爸说，保险丝是用自己的弱点，保护别人。

所以，它只能保护一次，自己的生命就结束了。

避雷针也是主动承担危险，牺牲自己，保护别人，但方式不同。

因为，避雷针是用自己导电好的长处，去保护别人。

所以，避雷针可以长久地保护别人。

人与人，需要互相有爱心，互相帮助，但也需要有智慧，讲方法。

比如，当你发现有人落入水中，你又不会游泳的时候，你该怎么办呢？

能跳进水里去救人吗？

小孩摇摇头。

爸爸接着说，想想看，这个时候，你自己的长处是什么呢？

小孩说，我在岸上，我可

yǐ pǎo
以 跑 。

bà ba shuō　　nǐ hái kě yǐ hǎn　　nǐ
爸 爸 说 ， 你 还 可 以 喊 ， 你

hái kě yǐ zhǎo néng gòu jiù rén de dōng xi
还 可 以 找 能 够 救 人 的 东 西 。

xiǎo hái qiǎng zhe shuō　　wǒ kě yǐ pǎo qù
小 孩 抢 着 说 ， 我 可 以 跑 去

hǎn dà ren lái　　hái kě yǐ zài fù jìn zhǎo shù
喊 大 人 来 ， 还 可 以 在 附 近 找 树

zhī
枝 ……

cóng tǎ shang xià lai　　xiǎo hái zài dì
从 塔 上 下 来 ， 小 孩 在 地

shang　　zhǎo dào le bì léi zhēn de jiē dì diǎn
上 ， 找 到 了 避 雷 针 的 接 地 点 。

xiǎo hái shuō　　bì léi zhēn xiàng shù yí
小 孩 说 ， 避 雷 针 像 树 一

yàng　　yě yǒu gēn
样 ， 也 有 根 。